La colère de la strige

L'auteur : Marie-Hélène Delval est auteur
de nombreux romans et histoires pour la jeunesse,
publiés aux éditions Bayard Jeunesse, Flammarion...
Pour Bayard, elle est également traductrice
de l'anglais (les séries L'Épouvanteur
et La cabane magique, *L'Aîné...*).
C'est une passionnée de « littérature de l'Imaginaire »
et – bien sûr – de fantasy !

L'illustrateur : Alban Marilleau a étudié
à l'École Supérieure de l'Image d'Angoulême.
Depuis, il illustre des albums, de la bande dessinée,
et travaille pour Bayard Presse.
Ses ouvrages sont notamment publiés
aux éditions Nathan et Larousse. Pour représenter
l'univers magique des dragons de Nalsara,
il s'est inspiré des ambiances qu'il fréquentait
déjà enfant, dans les romans de Tolkien.

Dépôt légal : juillet 2009
ISBN : 978-2-7470-2882-0
Deuxième édition : juillet 2018
Loi n°49-956 du 16 juillet 1949 sur les publications à destination de la jeunesse.

Imprimé en Espagne par Novoprint

La colère de la strige

Marie-Hélène Delval

Illustrations d'Alban Marilleau

bayard jeunesse

Les dragons de Nalsara

Cette histoire se passe au royaume d'Ombrune, sous le règne du roi Bertram. À deux heures de bateau du port de Nalsara, la capitale, s'élève l'île aux Dragons. On l'appelle ainsi car, tous les neuf ans, deux ou trois dragonnes sauvages viennent y déposer leur œuf. C'est là que vit Antos, le Grand Éleveur de dragons, avec ses enfants, Cham et Nyne.

Cham
Antos
Nyne

Résumé de l'épisode précédent
La Bête des Profondeurs

Selka, qui fut la dragonne de messire Damian, vient prévenir les habitants de l'île qu'un terrible danger les menace : la Kralaane, une bête qui dort dans les profondeurs de la mer, s'éveille de son sommeil millénaire. Si elle surgit à la surface, cela déclenchera un raz-de-marée qui détruira l'île aux Dragons et la ville de Nalsara. Pour rendormir la Bête et la renvoyer dans son repaire, Cham et Nyne doivent joindre leurs forces à celles des dragons.
Le Livre des Secrets leur révèle une formule écrite dans une langue inconnue. Cham se souvient alors : ce sont les paroles d'une berceuse que sa mère lui chantait quand il était tout petit. Le livre serait-il un cadeau de Dhydra ?
Tandis que Nyne reste sur la falaise, Selka transporte Cham au-dessus de l'océan, là où la Kralaane doit émerger. Chacun à leur poste, les enfants répètent encore et encore les mots trouvés dans le livre. Et la formule agit : la Bête replonge. Toutefois, son bref surgissement a provoqué une vague gigantesque, qui s'abat sur la falaise et emporte Nyne. Cham croit sa sœur noyée.
Heureusement, Vag, l'élusim, veille. Il sauve la petite fille.
Avant de repartir pour le Royaume des Dragons, Selka fait au garçon une merveilleuse promesse : un jour, elle viendra pondre sur l'île. Et son petit sera le dragon de Cham, lorsque celui-ci aura l'âge d'être dragonnier !

Une ombre dans le ciel

Bien que novembre soit arrivé, la mer étincelle sous un beau soleil d'automne. C'est agréable de travailler dehors. Cham et Nyne aident leur père, qui répare la toiture de la grange. Quelques jours plus tôt, une tempête s'est abattue sur l'île aux Dragons ; elle a fait quelques dégâts. Si on ne rebouche pas les trous, aux prochaines pluies l'eau mouillera la réserve de foin.

Cham, allant et venant le long de l'échelle, apporte à Antos les tuiles que sa sœur, restée en bas, lui passe une à une.

– C'est la dernière ! s'écrie l'éleveur de dragons. Merci de votre coup de main, les enfants !

Cham s'apprête à redescendre lorsqu'un détail insolite attire son attention :

– Nyne ! Viens voir !

– Quoi ? fait la petite fille en grimpant à son tour.

Perchée sur un échelon, juste au-dessous de son frère, elle se tourne dans la direction que celui-ci lui indique.

– Qu'est-ce que c'est… ?

– Qu'avez-vous vu ? demande leur père.

– Là-bas, papa ! Regarde ! répond Cham.

Tous trois s'abritent les yeux du revers de la main. Le ciel est d'un bleu très pâle, lumineux, sans un nuage. Sauf…

Sauf, au loin, une curieuse masse noire qui se déplace en ondulant.

– Ce n'est pas un oiseau, murmure Nyne. Ça ressemble à… la strige[1].

Cham sent courir le long de son dos un

1. Lire *Complot au palais* (Les dragons de Nalsara, n° 3).

frisson glacé, qui n'est pas dû à la brise frisquette du matin : sa sœur a dit tout haut ce qu'il pensait tout bas.

Ils restent un moment à observer le ciel. La chose se rapproche lentement, plane au-dessus d'eux à grande altitude. Puis elle décrit un large cercle autour de l'île avant de s'éloigner enfin.

« La strige est venue nous espionner… Qu'est-ce qu'elle nous veut ? » s'interroge le garçon.

– Bon, ce n'est rien, déclare Antos. Vous voyez, ça s'en va.

En effet, l'espèce de nuée semble s'enfoncer dans la mer, derrière la ligne d'horizon. L'instant d'après, elle est hors de vue.

– C'était trop haut pour qu'on distingue bien, dit Cham, mais…

– … mais ça ressemblait à la strige ! insiste Nyne.

– Allons, reprend leur père d'un ton léger, ne vous montez pas la tête ! Il s'agit probablement d'un phénomène naturel, un lambeau de fumée emporté par le vent ou un simple nuage.

– Un nuage qui aurait fait le tour de l'île ? grommelle Cham. Bizarre !

Tandis qu'ils descendent du toit l'un derrière l'autre, l'éleveur de dragons explique :

– Tu sais, en altitude, il y a souvent des courants contraires. Le vent a changé de sens, voilà tout.

Le frère et la sœur ne demandent qu'à se laisser convaincre. D'ailleurs, le ciel est si pur, le soleil si tiède sur leur visage que rien ne devrait troubler une aussi belle matinée.

La journée s'écoule, tranquille, occupée par les tâches quotidiennes. Mais, en fin d'après-midi, alors que le crépuscule tombe déjà, l'inquiétude des enfants resurgit.

Nyne met la soupe du dîner à mijoter sur le fourneau. Puis elle fait signe à son frère de la rejoindre dans sa chambre. Antos est à l'étable pour la traite du soir, ça leur donne le temps de discuter entre eux.

Dès qu'elle a refermé la porte, la petite fille s'écrie :

– Ce qu'on a vu ce matin, tu crois que c'était un nuage ou de la fumée, toi ?

– Eh bien, ce n'est pas impossible…

– C'était la strige, Cham ! Tu le sais aussi bien que moi.

Elle marque une pause, puis elle reprend :

– C'était la strige, et elle a disparu vers le nord, en direction du…

Son frère termine la phrase :

– … du territoire des Addraks. C'est ce que j'ai pensé aussi.

– Qu'est-ce que ça signifie, Cham ?

Le garçon hausse les épaules :

– Comment veux-tu que je le sache ?

– Moi, j'aimerais bien en apprendre plus.

– Ah oui ? Et comment ?

Sa sœur lâche un soupir d'impatience :

– J'ai mon miroir ; tu as le cristal-qui-voit. C'est le moment de s'en servir, non ?

En vérité, Cham a envisagé cette possibilité. Il n'en a rien dit parce qu'il a peur. Peur de ce qu'ils pourraient découvrir…

– Bon, décide Nyne, commençons par le miroir !

Elle sort d'un tiroir le sachet de velours qui protège le précieux objet. Elle dénoue le cordon et fait glisser dans sa main le cadeau du plus vieux des dragonniers. Il est rond, encadré d'un simple cercle d'argent. Lorsque la fillette le tient ainsi, posé sur sa paume, elle ressent toujours un mélange de joie et de chagrin, d'inquiétude et de curiosité. Cette petite glace, qui a appartenu à sa mère, possède des pouvoirs si mystérieux !

Les enfants se penchent vers la surface de verre. Pour l'instant, celle-ci reflète simplement leurs deux visages anxieux.

« S'il te plaît, miroir, supplie Nyne en silence, réfléchis ! Réfléchis pour nous ! »

2

Jeu de miroir

Une ou deux minutes s'écoulent.

À l'instant où les enfants, déçus, s'apprêtent à abandonner, une brume monte des profondeurs du verre. Ce phénomène s'est produit à chaque fois que le miroir leur a montré quelque chose.

Le brouillard s'épaissit, tournoie lentement, dessinant des volutes verdâtres qui se forment et se déforment. Cham et Nyne retiennent leur souffle. Cette couleur ne leur dit rien qui vaille : au palais du roi, quand le miroir leur a révélé le visage de Darkat, le sorcier addrak, les vapeurs avaient pris la même teinte sinistre.

Brusquement, la nuée disparaît, balayée par une clarté éblouissante. Les enfants aveuglés clignent des yeux et, d'un geste instinctif, Nyne incline le miroir. Le faisceau de lumière traverse alors la pièce et projette sur le mur blanc une ombre immense et noire.

– Aaaaaah !

Ils ont crié ensemble : un bref instant, l'un et l'autre ont cru que la strige était entrée dans la chambre.

La vision s'est déjà éteinte. Le miroir n'est plus qu'une simple surface de verre poli. Cham et Nyne se regardent, tout pâles. Quand le garçon réussit enfin à parler, il balbutie :

– C'était elle, hein ? Enfin, son ombre…

Nyne déglutit. Puis elle souffle :

– Oui. On est en danger, Cham.

D'une main tremblante, la petite fille range le miroir dans sa pochette de velours. Cet objet lui fait peur, soudain. Il leur a montré une image qu'elle aurait préféré ne pas voir.

Comme s'il craignait d'être entendu par il ne sait qui, Cham reprend à voix basse :

– Darkat est derrière tout ça, je le sens. Il est furieux contre nous parce qu'on l'a empêché d'enlever le roi. C'était il y a presque deux mois ; j'espérais qu'il nous avait oubliés.

– Ce n'est pas seulement à cause de nous, s'il a raté son coup ! objecte Nyne. Les magiciennes étaient là, les dragons du roi aussi !

– Oui, mais c'est ton miroir qui a révélé à messire Onys que Darkat était un sorcier addrak ! Et moi, je l'ai combattu sur le dos de Nour. Il nous en veut, c'est sûr. Souviens-toi de la tempête, lors de notre voyage de retour[1] ! Darkat avait envoyé son horrible strige couler le navire ! Ce sorcier est redoutable.

---

1. Lire *La nuit des élusims* (Les dragons de Nalsara, n° 4).

La petite fille approuve, pensive :

– Tu as raison. Sans les élusims, nous serions au fond de la mer, à présent…

Puis elle soupire :

– Si la strige revient, comment va-t-on se défendre ?

– Je n'en sais rien. En tout cas, si ton miroir nous a mis en garde, c'est qu'il existe un moyen de résister. Forcément. Il n'aurait pas projeté la silhouette de la créature rien que pour nous effrayer ! Il faut qu'on trouve ce moyen…

À cet instant, leur père les appelle d'en bas :

– Cham ! Nyne ! La soupe est prête !

– On descend, papa ! lance le garçon.

Il échange un regard avec sa sœur, qui hoche la tête. Sans se parler, ils se sont compris : ils ne diront rien à Antos ; il serait trop inquiet. Cette fois encore, ils se débrouilleront tous les deux.

Après le souper, Cham et Nyne retardent autant que possible le moment d'aller se coucher. Ils craignent l'un et l'autre de se retrouver chacun dans sa chambre. Ici, environnés par la tiédeur de la cuisine, ils se sentent en sécurité. Un bon feu flambe dans la cheminée. Leur père est près d'eux, occupé à réparer l'anse d'un panier.

Quand ils entament leur quatrième partie de dominos, Antos les interrompt :

– Assez joué, les enfants ! Il est tard. Au lit !

Ils rangent leur jeu lentement, traînent encore un peu. Enfin, ils prennent chacun un chandelier et se dirigent vers l'escalier :

– Bonne nuit, papa !

– Bonne nuit, mes petits ! Faites de beaux rêves !

« De beaux rêves, ça m'étonnerait... », pense Cham.

Arrivés en haut des marches, le frère et la sœur jettent un coup d'œil vers la lucarne qui éclaire le palier : un fourmillement d'étoiles scintille au-dessus de la maison.

– Le ciel est clair..., constate le garçon.

– Oui, murmure Nyne. Espérons qu'aucune masse noire ne monte à l'horizon...

Ils se disent bonsoir, poussent chacun leur porte, la referment derrière eux.

Les voilà seuls.

3

Quelque chose dans le noir

Oui, le ciel est clair. La lumière de la lune inonde la chambre de Nyne. La petite fille ne tire jamais le rideau devant la fenêtre pour dormir. Elle aime la pâle clarté nocturne qui argente les objets et les meubles autour d'elle ; elle aime se réveiller doucement, le matin, avec l'arrivée du jour. D'habitude, c'est ainsi. Mais cette nuit n'est pas comme d'habitude, parce que Nyne a peur. Elle craint de voir se dessiner soudain, en face de son lit, la silhouette noire de la strige. Elle a beau enfouir son visage dans l'oreiller, tirer la couverture par-dessus sa tête, elle ne parvient pas à chasser de ses pensées la forme menaçante que le miroir a projetée sur le mur blanc.

Au bout d'un moment, elle n'y tient plus. Elle se lève et va fermer le rideau, avant de vite se recoucher.

Il fait noir, à présent, dans la chambre. Et c'est pire. Il y a des ombres dans l'ombre, des ombres qui bougent…

Soudain, la porte s'ouvre, et quelqu'un apparaît sur le seuil.

Nyne se dresse sur son lit avec une exclamation d'effroi.

– Chut ! Ne crie pas ! souffle la voix de son frère.

La petite fille se laisse retomber sur l'oreiller en soupirant, soulagée :

– Oh, c'est toi ! Tu ne dors pas non plus ?

Cham s'approche sur la pointe des pieds :

– Non. Je n'y arrive pas. Il y a… quelque chose dans ma chambre, une bête ou… je ne sais pas quoi… J'ai peur, Nyne !

– Une bête ?

Le garçon chuchote :

– *Ça* remue, en tout cas. *Ça* fait du bruit, juste à côté de mon lit… Est-ce que je peux rester dormir avec toi ?

Nyne réfléchit. Avoir son frère auprès d'elle la rassurerait, c'est sûr. Mais le problème ne serait pas résolu pour autant.

Elle se lève, s'enveloppe dans un châle et décrète :

– Allons plutôt voir ensemble, Cham ! C'est sans doute une souris ou un loir. Comme celui qui s'était caché dans la huche à pain, l'année dernière, tu te souviens ?

– Ce n'est pas une souris. Le bruit ressemble à… un battement d'ailes.

– Oh… ! lâche la petite fille.

Puis elle se reprend :

– Écoute, Cham, ça ne peut pas être la strige, elle est bien trop grosse. Un oiseau est peut-être entré dans ta chambre quand tu l'as aérée. Allons voir, je te dis !

Elle rallume sa bougie. Le chandelier à la main, elle se dirige vers la porte d'un pas décidé. Cham la suit, un peu honteux. Nyne a sûrement raison ; il est un bel idiot !

Arrivés dans la chambre du garçon, les deux enfants se figent.

– Écoute ! chuchote Cham.

Et Nyne entend. *Flap, flap, flap*... C'est vrai, on dirait un battement d'ailes.

La petite fille s'avance, l'oreille tendue. Alors, du doigt, elle désigne la table de nuit :

– Le bruit vient de là. La bête est dans ton tiroir.

– Dans mon tiroir ?

Une idée bizarre traverse alors la tête de Cham : et si c'était... ?

En trois pas, il est près du meuble. Il ouvre le tiroir.

Rien ne s'envole, rien ne lui saute à la figure. Mais quelque chose bouge, en effet ; quelque chose qui, pourtant, n'est pas vivant.

C'est la couverture du livre qui bat, telle une aile.

– *Le Livre des Secrets* ! s'exclame le garçon. Que veut-il nous dire ?

D'un geste vif, comme pour attraper un petit animal, il s'empare de l'objet. Il le pose sur son lit. Le livre s'ouvre aussitôt sur une page blanche, et des lettres apparaissent. Cette fois, pas besoin du miroir : le texte est écrit à l'endroit, à croire qu'il doit être compris tout de suite.

– *Formule pour appeler les dragons*, lit Nyne.

Et son frère déchiffre les trois mots qui suivent :

– *Virnié nouri straji !*

Les enfants se regardent, perplexes. Nyne répète à mi-voix ces mots mystérieux, puis elle demande :

– Pourquoi faut-il appeler les dragons ?

– Pour qu'ils nous protègent de la strige, je suppose…

Après une seconde de réflexion, Cham affirme :

– En tout cas, *Le Livre des Secrets* ne nous donnerait pas cette formule si on n'en avait pas besoin.

– C'est vrai. Tu crois qu'on en a besoin… maintenant ?

Le garçon se dirige vers la fenêtre. Il l'ouvre et se penche au-dehors.

– Tu vois quelque chose ? interroge sa sœur.

– Non. Le ciel est clair, plein d'étoiles.

Nyne s'approche et regarde à son tour. Puis elle serre son châle contre elle en frissonnant :

– Alors, il ne se passera rien cette nuit. Ferme, il fait froid !

Cham obéit et va ranger *Le Livre des Secrets* dans son tiroir. Le volume ressemble de nouveau à un livre ordinaire : sa couverture ne bat plus comme l'aile d'un oiseau ; il a fait ce qu'il avait à faire.

Nyne s'apprête à retourner dans sa chambre. À l'instant de sortir, elle lance à son frère :

– Dors bien, Cham ! Comme dit souvent papa, demain est un autre jour !

– Tu te souviens de la formule ?

– *Virnié nouri straji !* murmure la petite fille.

Et elle tire la porte derrière elle.

Resté seul, Cham pense :

« C'est drôle… : *nouri*, ça ressemble à Nour. »

Ce mot a-t-il un rapport avec le nom qu'il a donné à son dragonneau préféré ?

Une noire pensée

Loin, très loin de l'île aux Dragons, quelque part au pays des Addraks, douze hommes sont assis en cercle sur de hauts sièges de bois sculpté. Des candélabres où brûlent des bougies de cire noire éclairent une pièce voûtée, aux murs recouverts de sombres tapisseries. La plupart de ces hommes ont l'air âgés : leurs longs cheveux sont blancs ; leurs visages, ridés. L'un d'eux – le plus vieux – porte autour du front un bandeau d'argent orné de dessins étranges.

Le plus jeune doit avoir dans les vingt-cinq ans. Il est beau : la peau très pâle, un nez en bec d'aigle, des yeux sombres, des cheveux aussi noirs que le plumage d'un corbeau. S'adressant à l'homme au bandeau d'argent, il déclare :

– Grand Maître, la strige est partie en observation à plusieurs reprises. Ce que j'ai vu par son regard ne révèle rien de particulier. Depuis que les enfants ont renvoyé la Bête des Profondeurs à son sommeil, ils ont

repris leurs activités quotidiennes. Malgré tout, je crois nécessaire de les éliminer; ils en savent trop et…

– Les éliminer? l'interrompt le vieux d'une voix sévère. Ils t'ont humilié, et tu veux te venger, je le comprends. Mais la colère est mauvaise conseillère, Darkat.

– La strige est capable de…

Cette fois, c'est un autre homme qui lui coupe la parole.

– La strige est sûrement capable de beaucoup de choses, fait-il d'un ton sarcastique. Cependant, elle n'a pas réussi à enlever le roi Bertram.

– Elle n'a pas non plus coulé le bateau qui ramenait les enfants sur l'île, continue un troisième. Heureusement, d'ailleurs… Car tu as envoyé ta créature sur la mer sans en demander l'autorisation au Conseil des Sorciers. Nous te l'aurions interdit, Darkat, tu le sais.

– Si les élusims ne s'en étaient pas mêlés…, grommelle le jeune homme.

Le Grand Maître reprend:

– Es-tu sûr de ton autorité sur la strige ?

Darkat se redresse avec fierté :

– Lorsque Eddhor, mon père, l'a créée, il a fait en sorte qu'elle me soit soumise.

– Tu n'étais qu'un gosse, à l'époque, même si tu montrais des dons exceptionnels pour la magie noire !

– J'avais presque treize ans.

– C'est bien ce que je dis : un gosse ! Et ton père a finalement été détruit par sa créature. Prends garde qu'elle ne te détruise, toi aussi !

– Impossible ! proteste Darkat. J'ai usé d'un sortilège très puissant, qui la plie à ma volonté. C'est grâce à ce maléfice qu'elle peut prendre l'aspect d'une violente tempête. D'ailleurs, sans cela, comment auriez-vous enlevé Dhydra, il y a huit ans ?

– Assez d'impertinence ! Ces enfants sont le fils et la fille de Dhydra, ne l'oublie pas. Ils peuvent nous être utiles.

– Surtout le garçon..., précise l'un des sorciers.

– C'est pourtant lui le plus dangereux,

messire Torus ! réplique Darkat. Si on le laisse en vie, il deviendra un dragonnier redoutable. De plus, sa sœur et lui ignorent encore leurs pouvoirs de magiciens. Quand ils les découvriront, ils…

– Assez ! tonne le Grand Maître. Le Conseil des Sorciers t'interdit de t'en prendre aux enfants. Du moins, pour l'instant. Si Dhydra refuse toujours de nous aider, nous nous servirons d'eux pour l'obliger à nous obéir. Alors, laisse-les tranquilles ! Tu m'as bien entendu, Darkat ?

Le jeune homme aux cheveux noirs s'incline avec respect :

– Je me soumettrai aux ordres du Conseil.

Mais une lueur inquiétante s'est allumée dans son regard, car une noire pensée vient de lui traverser l'esprit : « C'est à moi que la strige obéit, Grand Maître. À moi seul. Et elle fera ce que je lui dirai de faire. »

Le jour s'est levé sur l'île aux Dragons. À peine réveillés, Cham et Nyne courent chacun à sa fenêtre pour observer le ciel. Rien à l'horizon, pas de nuage noir ressemblant à une créature ailée. C'est une belle matinée, froide et ensoleillée. Rassurés, ils descendent prendre leur petit déjeuner avant d'entamer leurs tâches habituelles : ramasser les œufs dans le poulailler, nourrir les cochons. Puis, pendant que Cham mène les vaches au pré, Nyne s'occupe de ses lapins. Dans une dizaine de jours, elle pourra récolter pour la première fois leur poil si doux. Ça se vend cher, du poil angora ! Elle va gagner de l'argent pour sa famille, et cette idée la remplit de fierté.

Néanmoins, la petite fille reste soucieuse. Tout en ôtant la paille salie des clapiers, elle répète à voix basse les mots lus, pendant la nuit, dans *Le Livre des Secrets* :

– *Virnié nouri straji !*

Elle ne doit surtout pas les oublier…

Cham, lui, marche derrière les trois vaches en surveillant le veau de Caramel, qui gambade sur le sentier. D'habitude, ce spectacle l'amuse. Mais, ce matin, le garçon est préoccupé. Lui aussi, il dit et redit la formule dans sa tête : « *Virnié nouri straji !* »

L'un et l'autre se posent avec angoisse la même question : comment sauront-ils que le moment est venu d'appeler les dragons ? Et s'ils les appelaient… trop tard ?

Temps de novembre

Dans l'après-midi, le ciel jusque-là si clair se couvre d'épais nuages gris. Le vent se lève ; le soleil disparaît. Cela annonce-t-il le retour de la strige ?

Cham ne peut s'empêcher d'interroger son père :

– Papa, tu ne trouves pas bizarre que le temps change aussi vite ?

Antos le dévisage, interloqué. Il a saisi un tremblement dans la voix de son fils. De quoi le garçon a-t-il peur ?

– Ça n'a rien de bizarre, Cham, c'est un

temps de novembre. On aura sûrement de la pluie avant ce soir. Dépêchons-nous d'aller ramasser les pommes de terre !

– Je peux vous aider ? demande Nyne.

Sans attendre la réponse, elle court chercher un outil avant de rattraper son père et son frère qui se dirigent vers le champ. Elle n'a aucune envie de rester seule à la ferme, dans la demi-obscurité qui recouvre à présent l'île aux Dragons.

Le vent souffle plus fort. On entend au loin le mugissement de la mer et le fracas des vagues qui s'écrasent contre la falaise.

Les vagues, Vag… Nyne a une pensée pour l'élusim. Deux fois, déjà, il l'a sauvée. On n'a rien à craindre, quand on a un ami comme lui ! Vag la défendra contre tous les dangers, elle en est sûre. Même contre la strige.

Seulement, où est Vag, en ce moment ? Pourquoi *Le Livre des Secrets* n'a-t-il pas indiqué une formule pour appeler aussi les élusims ? Depuis ce qu'elle a vécu dernièrement avec Selka[1], la petite fille n'a plus peur des dragons. Enfin… presque plus. Tout de même, elle aimerait mieux que…

– Nyne ?

L'appel la fait sursauter :

– Hein ? Quoi ?

– Voilà bien trois minutes que tu contemples cette pomme de terre ! remarque son père en riant. Qu'a-t-elle de si extraordinaire ?

– Oh… rien, papa ! C'est juste que… je réfléchissais.

Cham échange avec elle un regard entendu. Il devine, lui, à quoi ressemblent les réflexions de sa sœur ! Pour la centième fois, il jette un coup d'œil vers le ciel, de plus en plus noir.

« Couleur de strige… », songe-t-il.

Et, pour la centième fois, il s'efforce de chasser cette idée.

Enfin, Antos décide :

---

1. Lire *La Bête des Profondeurs* (Les dragons de Nalsara, n° 5).

– Allez, on a assez travaillé ! Portons notre récolte dans la remise et rentrons à la maison !

Ils chargent les cageots sur la brouette. Lorsqu'ils prennent le chemin de la ferme, les premières gouttes de pluie se mettent à tomber.

C'est un temps de novembre, voilà tout. Les enfants ne sont pas en danger. Pas encore…

– Ma belle…, souffle Darkat.

Au son de sa voix, quelque chose frémit dans l'ombre.

– Regarde-moi !

Deux fentes étroites s'ouvrent dans cette masse de ténèbres. Deux pupilles verticales fixent le jeune sorcier.

– C'est bien, fait-il.

La créature n'a pas de forme définie. Elle peut prendre de nombreux aspects, par exemple celui d'un gigantesque dragon. Elle peut s'étirer à l'infini, emplir le ciel telle une nuée d'orage. Elle peut se rassembler en une boule compacte, plus dure que la pierre. Il suffit qu'elle le désire ou que son maître lui en donne l'ordre. Elle n'a pas de crocs, pas de griffes, pas d'yeux, sauf si son maître lui commande de mordre, de déchirer, de regarder.

– Et je suis ton maître..., murmure Darkat.

Il s'accroupit à l'entrée de la caverne qui abrite la strige. Aucune porte ne la ferme ; c'est inutile : si la strige décidait de s'échapper, rien ne la retiendrait. Le bois le plus dur, le fer le plus épais ne résisteraient pas à sa force formidable. Mais elle ne s'échappera pas ; le sortilège qui la retient dans son antre est trop puissant. Darkat est fier d'avoir créé ce sortilège. Son père, Eddhor – un sorcier redoutable, pourtant –, ne dominait pas totalement sa créature. Elle a fini par le tuer. Désormais, elle est soumise à Darkat.

Celui-ci marmonne pour lui-même :

– Le garçon pourrait nous être utile, le Conseil des Sorciers a raison. Patience ! Mieux vaut le laisser vivre encore un peu. Je trouverai une autre façon de me venger de lui...

Il tend la main vers la masse informe comme pour caresser un animal familier et ajoute, ironique :

– Qu’en penses-tu, ma belle ?

Un grondement emplit la caverne. Puisque son maître l’interroge, la créature lui répond. Darkat sourit, satisfait :

– Tu es d’accord, n’est-ce pas !

Mais comprend-il vraiment le langage sans mots de la strige ?

6

Ce qu'a dit la strige

Le lendemain, le ciel est gris d'un bout à l'autre de l'horizon. D'épaisses nuées recouvrent l'île aux Dragons. Il n'y a plus un souffle de vent. La mer est lisse et sombre, tel un immense lac d'encre. On dirait que tout – l'eau, l'air, la terre – guette, immobile, que quelque chose survienne.

Antos travaille dans la grange. Les enfants s'occupent de leurs tâches quotidiennes.

– Attends-moi ! lance Nyne à son frère. Je viens avec toi à la porcherie.

D'habitude, c'est Cham qui nourrit les cochons. Mais, ce matin, la petite fille n'a pas envie de rester seule dans le poulailler. Une angoisse pénible lui serre toujours la poitrine. Elle se dépêche de distribuer leur grain aux volailles, tandis que son frère patiente, la bassine d'épluchures à ses pieds. Un autre jour, il aurait rouspété. Aujourd'hui, lui non plus ne se sent pas dans son assiette. Mieux vaut qu'ils restent ensemble. S'il arrive quoi que ce soit, ils seront plus forts à deux.

Dès que les enfants entrent dans la porcherie, les trois gorets affamés se bousculent en grognant. Et, brusquement, Cham et Nyne se déchaînent : ils lancent les épluchures à pleines mains.

– Tenez, les rondouillards, attrapez ! pouffe la petite fille.

Voyant l'une des bêtes lever maladroitement le groin pour happer au vol un morceau de pomme de terre, le garçon s'esclaffe :

– Toi, t'es vraiment un gros lard !

– Un ronchon bouffi ! renchérit Nyne.

– Un… un grinchu-ventru ! invente Cham.

Et ils rient, ils rient, ils se plient en deux de rire.

Quand la bassine est vide, leur excitation tombe d'un coup. Cham se sent soudain un peu ridicule : qu'est-ce qui leur a pris ?

– Bon, fait-il. On va à la fromagerie ?

Antos leur a demandé de saler les fromages pendant qu'il travaillerait au potager.

– Allons d'abord nous laver les mains, dit Nyne.

« On est trop nerveux, pense le garçon, tandis qu'ils se dirigent vers la maison. On ne devrait pas avoir peur comme ça. Si la strige nous attaque, les dragons seront là pour nous protéger… »

La créature s'agite dans son antre. Devant elle, l'entrée de la caverne forme un trou clair dans le brun sombre du rocher. La strige voudrait franchir cette ouverture, mais une force trop puissante l'en empêche. Le lien magique qui l'entrave est plus solide que des chaînes. C'est son maître qui a créé ce lien. Elle doit être soumise à son maître.

La strige enfle, devient une masse de fumée qui emplit toute la grotte. Puis elle s'enroule sur elle-même tel un énorme serpent dont la tête cogne contre le vide. Sortir. La créature veut sortir.

La strige n'a pas de cerveau. Cependant, quelque chose l'habite, une ombre de pensée, un souvenir de colère et d'humiliation : l'image d'un dragon monté par un jeune humain, devant qui elle a dû fuir. Son maître aussi a dû fuir. Son maître n'est donc pas si puissant ! Elle a lu dans l'esprit de son maître qu'il rêve de vengeance. Mais il tarde, il recule, il obéit à plus puissant que lui. « Mieux vaut le laisser vivre encore un peu », a-t-il dit. Puis il s'est adressé à sa créature : « Qu'en penses-tu, ma belle ? Tu es d'accord, n'est-ce pas ? » La strige a grondé : « Tue-le maintenant ! »

Son maître n'a-t-il pas compris ?

Pourtant, il veut la mort du garçon ; son cœur est rempli de haine. La strige aime cette haine, elle s'en nourrit. Elle veut ce que veut son maître : tuer, détruire, anéantir. Elle veut la vengeance, comme lui.

L'espèce de serpent disparaît ; à sa place se dessine une forme ailée. C'est l'aspect que la strige préfère, celui qui lui permet de voler à la vitesse du vent, ou de planer, presque immobile, tel un nuage d'orage. Un nuage qui peut se doter de griffes et de crocs, avec lesquels saisir une proie, la déchiqueter. Si son maître lui en donne l'ordre. Son maître ne lui a pas donné cet ordre, pas encore. Mais il a une terrible envie de le faire, la strige le sait. Elle veut obéir au désir de son maître. Elle le veut *tout de suite*.

Et, soudain, le lien magique craque sous la violence de ce désir. La strige est libre.

Les enfants se dirigent côte à côte vers la remise, où les fromages de brebis sèchent sur des clayettes. Nyne murmure :

– C'est bizarre qu'on n'entende pas le bruit des vagues…

Cham aquiesce. Lui non plus, il n'aime pas ce silence. Leurs pas crissent désagréablement sur le gravier de la cour.

– D'habitude, en novembre, la houle est si forte que…, commence le garçon.

Une brusque rafale l'interrompt. Le vent s'est levé d'un coup ; il fouette le visage des enfants et fait voltiger leur pèlerine. Aussitôt, la grande voix de la mer résonne de nouveau. Au lieu d'en être rassurés, le frère et la sœur échangent un regard anxieux. Le changement est trop brutal, ce n'est pas naturel…

– Tu crois que… qu'on doit appeler les dragons ? balbutie la petite fille.

Cham secoue lentement la tête :

– Non, je ne pense pas. Pas déjà… Le moment venu, on *saura* qu'il faut le faire, j'en suis sûr.

– Oui, tu as raison.

Tout de même, par sécurité, Nyne répète à voix basse la formule que leur a révélée

Le Livre des Secrets : *Virnié nouri straji !* Il ne faudrait pas qu'elle se trompe ou qu'elle l'oublie ! Surtout pas ! Car, elle le pressent, le danger se rapproche…

La mémoire de la strige

Au fond de la remise, une petite pièce garnie d'étagères sert de fromagerie. Derrière les solides murs de pierre, les enfants se sentent presque en sécurité. Ils mettent tous leurs soins à frotter un à un les fromages avec du sel, ça leur occupe à la fois les mains et l'esprit.

Mais le vent siffle un peu trop fort, au-dehors. Pour dissiper son inquiétude, Nyne a besoin de parler de choses légères, d'évoquer d'heureux souvenirs. Elle demande :

– Tu crois qu'on retournera au palais,

un jour ? J'aimerais tellement porter encore la belle robe que dame Soline m'a cousue pour le jubilé ! Elle m'allait bien, hein ?

Pinçant du bout des doigts les côtés de sa jupe de laine, la petite fille tourne sur elle-même en faisant mine d'être vêtue en princesse.

Cham entre aussitôt dans le jeu. Balayant le sol d'un chapeau à plumes imaginaire, il s'incline devant sa sœur :

– Ce serait un honneur de danser avec vous au grand bal du roi, demoiselle Nyne !

Celle-ci esquisse une gracieuse révérence :

– L’honneur serait pour moi, messire Cham !

– Eh bien, dansons ! Que résonnent les flûtes, les tambourins et les violons !

Le garçon tend le bras à sa « cavalière » avec élégance.

– Euh…, fait Nyne. Si vous reposiez d’abord ce fromage, messire Cham ?

Cham se fige, la main en l’air. Sa pose est si drôle que les voilà pris d’un nouveau fou rire. Comme un instant plus tôt dans la porcherie, ils rient, ils rient. Ils rient si fort qu’ils en pleurent. Le vent peut bien secouer avec rage les vitres de la petite fenêtre, eux, ils rient. Ils sont ensemble. Et, quand le danger surviendra, ils se battront ensemble. Voilà ce que leur rire proclame au ciel noir, à la tempête, à la strige elle-même : à deux – et avec le secours des dragons –, ils seront toujours les plus forts !

La créature a survolé le territoire des Addraks à une vitesse surnaturelle. Personne n’a remarqué sa fuite. Elle plane à présent au-dessus de la mer. Elle se dilate, elle emplit tout l'espace, aussi noire qu'un nuage d'orage. Les flots, au-dessous d'elle, se gonflent. Ils roulent en vagues écumantes et s'écrasent contre l'île aux Dragons.

Alors, la strige se souvient.

La première fois qu'elle est venue là sur l'ordre de son maître, celui-ci était encore bien jeune. Mais sa volonté était déjà implacable ! Il lui a commandé d'appeler, en imitant la voix des dragons, la femme aux longs cheveux noirs. Et la femme a été trompée, envoûtée. Elle est sortie de sa maison pour s'aventurer sur la falaise. Malgré le vent qui soufflait en rafales, elle s'est avancée jusqu'au bord. Des griffes monstrueuses l'ont alors emportée, dans une nuée tourbillonnante.

« Amène-la-moi ! ordonnait le jeune maître. Amène-la-moi ! » Et il riait. La strige se souvient ; ce rire lui plaisait.

Sur cette île vivent deux jeunes êtres, les enfants de la femme. Ils lui ressemblent. Une fille. Et un garçon. C'est de lui, surtout, que le maître veut se venger. La strige a envie d'entendre de nouveau le rire du maître. Elle ne va pas tuer le garçon. Elle va le ramener au maître, comme elle a ramené la femme autrefois. Elle va imiter la voix des dragons. Ou plutôt celle d'*un* dragon. C'est facile : elle l'a entendu rugir, pendant leur combat au palais. Et elle connaît le nom du garçon.

La strige déteste les dragons. Ça l'amuse de se servir de la voix d'un des leurs pour tromper sa victime. Oui, quand elle ramènera le garçon, le maître rira. À cette pensée, la strige rit aussi, à sa manière, et son rire roule dans les nuées tel un grondement de tonnerre.

– Voilà l'orage, murmure Nyne.

– Oui… Viens ! On rentre à la maison.

Ils quittent la remise en hâte, pressés de retrouver la chaleur de la cuisine, la présence rassurante de leur père.

Un éclair griffe le ciel noir, et le tonnerre gronde de nouveau.

Soudain, Cham s'immobilise au milieu de la cour :

– Écoute ! Tu entends ?

– Quoi ?

– Cette voix…

Nyne hausse les épaules :

– C'est le vent, Cham. Et le bruit des vagues. Allez, viens ! Il fait froid.

Elle court vers la porte, s'arrête sur le seuil pour attendre son frère. Le garçon la rejoint à pas lents, comme à contrecœur. Il se retourne plusieurs fois ; il semble guetter quelque chose.

Nyne tend l'oreille. Elle, elle ne perçoit pas d'autre voix que celles du vent et de la mer.

« Qu'est-ce qu'il a ? pense-t-elle, inquiète. Qu'est-ce qu'il entend que je n'entends pas ? »

8

La voix dans le vent

Cham se résigne enfin à entrer. Mais, dès qu'il a accroché sa pèlerine, il va se planter devant la fenêtre de la cuisine. Le front appuyé contre le carreau, il regarde obstinément au-dehors.

Antos est en train de battre une omelette dans une jatte, tandis que des pommes de terre rissolent dans la poêle. Il dit :

– Vous mettez le couvert, les enfants ?

– Oui, papa.

Nyne sort du buffet les assiettes et les verres ; elle les dispose sur la table tout en surveillant son frère du coin de l'œil. Finalement, elle lui lance :

– Cham ! Tu veux bien couper le pain ?

– Hmmm…, fait le garçon, sans même se retourner.

C'est à peine s'il a entendu. Son attention est accaparée par un appel mystérieux, une voix qui lui semble familière, des paroles qu'il n'arrive pas à saisir.

Soudain, un mot lui parvient, clair, pressant : « Cham ! »

La voix a prononcé son nom ! Et c'est celle de…

– Nour…, murmure le garçon.

La voix continue :

« Cham, j'ai besoin de toi ! Viens ! Sors ! »

– Oui, Nour, je viens…

Cham se dirige vers la porte. Aussitôt, Nyne se précipite et le retient par la manche :

– Qu'est-ce que tu as ? Qu'est-ce que tu entends ? Réponds-moi, Cham !

Mais le garçon écarte sa sœur ; il continue d'avancer, le regard fixe.

« Viens sur la falaise ! Tout de suite ! »

La falaise… Oui, il doit aller sur la falaise…

Antos, qui surveillait la cuisson de l'omelette, se retourne, intrigué. D'où vient ce brusque courant d'air ?

Ce qu'il découvre le laisse stupéfait : la porte est ouverte. Nyne observe son frère avec une expression épouvantée tandis que le garçon franchit le seuil d'un pas raide, sans se soucier des coups de vent qui gonflent ses vêtements.

Un souvenir fulgurant explose alors dans la tête de l'éleveur de dragons : Dhydra ! Le jour où elle a disparu dans la tempête, elle est sortie de la maison avec cette même démarche d'automate, ce même air d'être ailleurs. Sur le moment, il ne s'en est pas inquiété : sa femme avait si souvent un comportement énigmatique ! Il l'a laissée sortir.

Et Dhydra n'est jamais revenue.

– Cham ! Non !

D'un bond, Antos rattrape son fils. Il l'agrippe par un bras, Nyne saisit son frère par l'autre bras, et tous deux s'efforcent de le retenir. Impossible. Une volonté plus puissante que la leur tire le garçon au-dehors. Antos se plante devant lui pour lui barrer le chemin ; Cham s'écarte pour contourner l'obstacle.

Alors, fou d'angoisse, Antos fait un geste qu'il n'a encore jamais fait : il lève la main et le gifle à toute volée. Sous le choc, Cham titube. Aussitôt, il sort de l'espèce de transe qui le possédait. Il cligne des yeux, abasourdi.

Son père le serre contre lui en balbutiant :

– Mon petit... Mon petit... J'ai cru que j'allais te perdre, toi aussi...

Quelques instants plus tard, ils sont tous les trois à l'abri des murs de la cuisine. Antos a couru retirer du feu l'omelette aux pommes de terre, qui carbonisait dans la poêle.

– On aurait dit que Nour m'appelait, papa, explique Cham. En réalité, c'était la strige. J'aurais dû me méfier ; Nyne et moi, nous savions qu'elle allait nous attaquer. Elle a imité la voix du dragon pour m'attirer sur la falaise. Et je me sentais entraîné par une force inconnue. C'était de la magie noire, j'en suis sûr.

– Mais... pourquoi ? Qu'est-ce que ce monstre a contre toi ?

– C'est sûrement Darkat qui l'a envoyée. Tu sais, le sorcier addrak que j'ai combattu avec Nour, au palais de Nalsara, pendant le jubilé. On te l'a raconté. Il veut sans doute se venger. C'est un peu à cause de moi qu'il n'a pas réussi à capturer le roi...

L'éleveur de dragons hoche la tête, songeur.

« Est-ce ainsi que Dhydra a disparu ? se dit-il. A-t-elle été attirée sur la falaise par la même force maléfique ? Dans ce cas, pour quelle raison la créature l'a-t-elle enlevée ? Et, si elle ne l'a pas tuée, où l'a-t-elle emportée ? »

Antos peut comprendre que le sorcier en veuille au garçon. Mais pourquoi les Addraks s'en seraient-ils pris à sa femme, il y a bientôt neuf ans ? Pourtant, c'est bien ce qui a dû arriver... Dhydra lui aurait-elle caché quelque terrible secret ?

Soudain, la maison est violemment secouée. Les fenêtres se mettent à vibrer, les murs à trembler. La table tressaute, une assiette tombe sur le carrelage et se brise.

Au-dehors, le vent hurle et siffle avec rage. Des éclairs rayent le ciel, illuminant la cuisine d'une lumière blafarde. Un coup de tonnerre éclate, assourdissant.

– C'est la strige ! hurle Cham, paniqué. Elle est folle de colère ! Elle va tout casser !

Alors Nyne s'écrie :

– Les dragons, Cham ! Il faut appeler les dragons ! Maintenant !

Et, avant que leur père ait pu les retenir, les enfants ont ouvert la porte. Debout sur le seuil, main dans la main, ébouriffés par les rafales, ils jettent à pleine voix vers le ciel noir des paroles incompréhensibles :

– *Virnié nouri straji !*

9

Un combat dans le ciel

L'éleveur de dragons et ses enfants n'oublieront jamais l'incroyable spectacle qui se déroule alors sous leurs yeux.

La nuée ténébreuse qui emplit le ciel s'est déchirée en plusieurs endroits. Et par ces déchirures ont jailli de grandes silhouettes ailées. Leurs écailles lancent des éclats verts, jaunes, pourpres, violets... De leurs gueules ouvertes sortent des jets de flammes, qui teintent le ciel noir de lueurs rougeoyantes. Les dragons ont répondu à l'appel ! Ils ont surgi de leur mystérieux royaume, telles des flèches de lumière, pour livrer au-dessus de l'île une fantastique bataille.

À coups de pattes et de queue, les dragons attaquent une masse mouvante et sans forme. Ils mordent dans du rien, ils griffent du vide. Ils crachent le feu sur une chose molle, qui se creuse et se gonfle, étouffant les flammes.

« Les dragons ne peuvent rien contre la strige, constate Cham avec désespoir. On dirait qu'elle est nulle part et partout… »

Comment combattre une créature sans consistance, qu'on ne peut ni blesser ni tuer ?

Soudain, une voix familière résonne dans la tête du garçon :

« Attaque avec nous, petit dragonnier ! »

Selka ! Selka est là, parmi les dragons ! A-t-il bien compris ce qu'elle vient de dire ?

« Moi ? Attaquer ? Comment ça ? » demande Cham en pensée.

La réponse le laisse abasourdi :

« Tu as du pouvoir sur la strige. Rappelle-toi ! Tu l'as déjà affrontée, lors du jubilé. Tu l'as déjà chassée. »

« Je n'étais pas seul, au palais du roi, je… »

« Es-tu seul, aujourd'hui ? Des dizaines de dragons te soutiennent. Mais c'est toi que la strige veut, Cham. C'est donc toi qui dois prononcer la formule, les deux mots capables de la repousser ! »

« Des mots ? Quels mots ? »

Brusquement, il se souvient : il a posé cette même question à Nour, avant de descendre au port, après les fêtes royales. Le jeune dragon n'a pas répondu. Pourtant, Cham sait maintenant ce qu'il doit faire.

Sans hésiter, il s'avance au milieu de la cour et lance :

– Viens me chercher, Selka ! Prends-moi sur ton dos !

L'énorme créature verte atterrit aussitôt sur le gravier, les ailes étendues. Sourd aux protestations de son père et de sa sœur, le garçon se précipite. Escaladant une des puissantes pattes de la dragonne, qui s'est

accroupie, il l'enfourche. Il retrouve aussitôt le creux du cou où il s'est assis lorsque Selka l'a emporté au-dessus de la mer pour affronter la Bête des Profondeurs.

« Tiens-toi bien ! » recommande la dragonne.

Et elle décolle.

Cham s'enfonce, avec sa puissante monture, au cœur même de l'orage maléfique. Des nuées couleur de suie l'environnent, un vent glacial lui gèle les os, des éclairs fourchus zigzaguent autour de lui, tandis qu'un grondement effrayant fait vibrer ses tympans. Ce n'est pas le bruit du tonnerre ; c'est la voix de la strige, emplie de haine et de rage.

Des paroles apaisantes résonnent alors dans la tête du garçon :

« Courage, petit dragonnier ! Elle a cru qu'elle t'aurait sans difficulté. La voilà frustrée et furieuse. Et plus dangereuse que jamais. Cramponne-toi ! Elle va tenter de... »

Au même instant, un tentacule noir et glacé s'abat en sifflant et s'enroule autour du garçon. Cham hurle de terreur. Il s'accroche de toutes ses forces au cou de la dragonne.

« La formule, Cham ! lui crie Selka. Lance la formule ! Deux mots ! Souviens-toi ! »

Le garçon, affolé, fouille désespérément sa mémoire. Rien ne lui revient ; son esprit est vide. Il étouffe. Il glisse le long des écailles. Il va lâcher prise, il va être emporté… Cham ferme les yeux. Pendant quelques brèves secondes, il est tenté d'abandonner. Pourquoi lutter encore ? Il n'en a pas la force. Sans doute est-ce son destin de disparaître ainsi…

De nouveau, des paroles retentissent dans sa tête :

« Résiste, petit dragonnier ! Résiste ! Le royaume d'Ombrune a besoin de toi ! »

Selka n'est pas seule à l'encourager. Des dizaines de voix se sont unies pour s'adresser à lui : les voix des dragons sauvages ! Cham n'a pas le droit de décevoir les dragons. Non, la strige ne l'aura pas !

Dans un sursaut de révolte et de volonté, il se redresse. Il brandit le poing. Il laisse monter du fond de sa conscience ces deux mots dont il ne connaît pas le sens, mais qu'il a déjà jetés à la face de la créature, lors de leur premier combat :

– *Horlor gorom !*

Comme s'ils avaient attendu cet instant, les dragons reprennent ensemble, d'une voix vibrante :

« *Horlor gorom !* »

Et le mystérieux commandement roule longuement dans le ciel noir, au-dessus de l'océan écumeux.

Encore des tuiles à remettre...

La nuée de ténèbres se ramasse sur elle-même, frémissante, tel un animal effrayé. Puis elle prend l'aspect d'un serpent gigantesque, dont les anneaux ondulent entre les nuages. Sa tête triangulaire plonge vers l'île, gueule ouverte.

«*Horlor gorom !*» clament une dernière fois Cham et les dragons.

La strige siffle de rage. Son souffle brûlant creuse dans la mer un sillon d'écume, courbe les arbres sur le rivage, secoue avec violence la ferme et la grange.

Mais le monstre est vaincu. De nouveau, la strige se roule en boule. Puis, reprenant sa forme ailée, elle bat en retraite à la vitesse de l'éclair, par-delà la ligne d'horizon.

Aussitôt, le ciel s'éclaircit. Cham a le temps d'apercevoir plusieurs dizaines de dragons, qui repartent déjà vers leur lointain royaume. Sous les rayons du soleil, ils brillent telle une poignée de pierres précieuses jetées parmi les nuages. L'instant d'après, les éclats verts, jaunes, pourpres et violets s'éteignent. Les dragons ont disparu.

Selka décrit une large courbe, amorce sa descente et se pose sans heurt dans la cour de la ferme. Cham se laisse glisser à terre, un peu étourdi. Son père et sa sœur le serrent dans leurs bras, riant et pleurant en même temps.

Enfin, il se dégage de leur étreinte et se tourne vers la dragonne :

– Merci, Selka ! Sans toi…

La belle créature effleure de son museau le visage du garçon :

« Les dragons seront toujours là pour t'aider, petit dragonnier. Ils savent aussi qu'ils pourront toujours compter sur toi. »

Cham n'est pas sûr de bien comprendre : les dragons, compter sur lui ? Eux qui sont si puissants ? Il aimerait que la dragonne en dise plus, mais il a d'abord une question à poser :

– Selka, que signifie *horlor gorom* ?

« Tu l'apprendras en temps voulu. À présent, retourne parmi les tiens ! »

La dragonne recule, ouvre les ailes. D'une poussée de ses pattes arrière, elle décolle, vire au-dessus de la ferme et s'éloigne.

Lorsqu'elle n'est plus qu'un point vert à l'horizon, Cham murmure :

– J'ai l'impression d'avoir vécu tout ça en rêve…

– Moi aussi, dit Nyne. Sauf que c'était plutôt un cauchemar !

– Un rêve qui laisse de sacrées traces ! intervient leur père en désignant la maison.

– Oh ! lâchent les enfants.

Les carreaux des fenêtres sont cassés, des tuiles se sont écrasées dans la cour.

– Je n'ai plus qu'à aller chercher l'échelle pour réparer de nouveau les toitures ! constate Antos.

Il a dit ça d'un ton si comique qu'ils éclatent de rire tous les trois. Quelques tuiles par terre et des vitres brisées, ce n'est pas grand-chose, par rapport au terrible danger auquel ils viennent d'échapper !

– Tu sais, papa, déclare le garçon quand ils se sont calmés, la strige est redoutable, mais je ne la crains plus. Les dragons seront toujours à nos côtés, c'est Selka qui me l'a assuré.

Le Grand Éleveur ébouriffe d'un geste affectueux la chevelure de son fils :

– C'est une bonne chose de savoir dominer sa peur, Cham. Il ne faut pas se montrer imprudent pour autant. Vous partagez bien des secrets, Nyne et toi. Je comprends que vous les gardiez pour vous, comme votre mère gardait les siens. Mais Dhydra…

Il se tait un instant avant de reprendre :

– Dhydra n'est plus là, et j'ignore ce que l'avenir nous réserve. Alors, promettez-moi tous les deux de ne jamais agir de façon irréfléchie !

Les enfants promettent d'une seule voix. Leur père sourit :

– Maintenant, allons rassurer nos bêtes ! Les pauvres, elles doivent être complètement affolées !

Tous trois se dirigent vers la prairie où paissent les vaches et les brebis. Ils trouvent les premières à l'abreuvoir ; les secondes arrachent tranquillement des touffes d'herbe, qu'elles mâchent d'un air concentré.

– On dirait que tout est normal ! s'étonne Antos.

– Les bêtes ont pris ça pour un gros orage, suppose Cham. Elles ont l'habitude.

Nyne approuve en silence. D'ailleurs, c'est étrange. Il lui semble à présent que ce n'était rien d'autre, en effet : un gros orage…

Elle regarde autour d'elle. Des rayons de soleil mettent des flaques dorées sur le vert du pré. Les moutons bêlent, un oiseau chante quelque part. L'île aux Dragons est paisible.

S'abritant les yeux du revers de la main, la petite fille se tourne vers la mer qui scintille, au-delà des champs. Non, ils ne savent pas ce que l'avenir leur réserve. Mais Nyne est confiante : les nuages les plus noirs finissent toujours par s'écarter pour laisser passer la lumière !

EXTRAIT

Retrouve vite Cham et Nyne
dans la suite des aventures de

Tome 7
Le secret des magiciennes

L'hiver est là. Un matin, l'île aux Dragons se réveille sous la neige. Cham et Nyne se précipitent dans la cour avec des cris de joie. Leur père doit se fâcher pour qu'ils rentrent prendre leur petit déjeuner.

En finissant leurs tartines, ils demandent :

– Papa, quand on aura nourri les poules et les cochons, on pourra aller faire des glissades sur la colline ?

– Oh oui, papa ! S'il te plaît !

Au royaume d'Ombrune, la neige est rare ; elle ne tombe guère que sur les montagnes du Nord, et presque jamais sur l'île, située au large de la côte Sud. Antos se souvient que lui-même, lorsqu'il était gamin, adorait jouer dans cette belle et froide poudre blanche. Prenant un air faussement sévère, il objecte :

– Vous ne deviez pas travailler un peu le calcul et l'orthographe, ce matin ?

– Oh… euh…, bredouille Cham. On aura bien le temps en fin d'après-midi.

– C'est vrai, enchérit Nyne, la nuit tombe si tôt, en ce moment !

L'éleveur de dragons éclate de rire :

– Allons, je vous taquine ! Pour une fois, je vais même m'occuper de la basse-cour et de la porcherie à votre place. Habillez-vous chaudement et filez !

– Oui, papa !

– Merci, papa !

Emmitouflés dans leur pèlerine, des moufles aux mains et une écharpe autour du cou, les enfants escaladent la colline. Ils tirent derrière eux une planche à laquelle ils ont attaché une corde. Sur cette luge improvisée, ils entament une folle partie de glissades. L'air est si clair que leurs éclats de rire résonnent aux quatre coins de l'île.

Au bout d'un moment, ils sont hors d'haleine. Les joues rougies, les doigts picotés par le froid, ils se laissent tomber au pied d'un arbre dénudé.

Soudain, un bruissement d'ailes attire leur attention. Ils lèvent le nez.

Un gros oiseau blanc vient de se poser sur une branche basse. Inclinant sa tête carrée, il les observe de ses yeux ronds. Puis il lance un drôle de cri : « Hou, hou ! Hou, hou ! »

– Qu'est-ce que c'est ? chuchote Nyne.

Ce ululement a fait courir un frisson le long de sa nuque.

– Ça ressemble à une chouette, répond Cham. C'est bizarre, je n'en ai jamais vu, sur l'île.

– Une chouette ? Mais… je croyais que ces bêtes ne chassaient que la nuit. C'est ce que j'ai lu dans notre livre sur les animaux.

– Oh, ça dépend des espèces…

« Hou, hou ! Hou, hou ! » reprend l'oiseau.

Il agite un peu les ailes, cligne des paupières et s'immobilise, la tête penchée de l'autre côté.

Nyne se relève avec précaution, pour ne pas l'effrayer. La petite fille est intriguée : la chouette a l'air d'attendre quelque chose.

– Qu'est-ce que tu veux, toi ?

Nyne a parlé tout bas, comme pour elle-même. Pourtant, le volatile semble avoir compris. Il répond doucement : « Hou, hou ! »

Cham se met debout à son tour. Ce qui se passe là n'est pas naturel. Cette chouette sortie de nulle part, aussi blanche que la neige, aurait-elle traversé la mer pour voler jusqu'à l'île ? Cela paraît impossible : la distance est bien trop grande. Les chouettes ne sont pas des alcyons voyageurs. Alors ?

De nouveau l'oiseau bat des ailes, il se secoue. Et un éclair argenté s'allume sur son poitrail.

– Oh… ! fait Nyne.

La chouette porte autour du cou une mince chaîne, à demi dissimulée dans son plumage. Un petit cylindre de métal y est suspendu.

– Un message ! devine la petite fille.

Lentement, très lentement, elle tend la main. La chouette ne bouge pas. Les doigts de Nyne touchent les plumes tièdes. Derrière elle, son frère ose à peine respirer.

Lentement, très lentement, Nyne saisit la chaîne. L'oiseau l'aide en baissant la tête.

L'instant d'après, la fillette tient le cylindre entre ses doigts.

– Merci, belle messagère ! murmure-t-elle.

« Hou, hou ! » répond la chouette.

Et, d'un coup d'ailes, elle s'envole. Les enfants la suivent du regard, jusqu'à ce qu'elle ait disparu, blanche contre le ciel blanc.

– Elle se dirige vers la mer, constate Cham, troublé. Elle ne niche pas dans l'île.

D'où peut-elle bien venir ? Et qui l'a envoyée ?

Nyne a déjà ouvert le cylindre. Elle en tire un mince papier enroulé, qu'elle aplatit avec soin contre sa paume. Elle distingue alors des lettres minuscules et observe :

– C'est écrit à l'envers. Rentrons vite, Cham ! On va avoir besoin de mon miroir.

– J'espère que ce n'est pas encore une langue incompréhensible, grommelle le garçon.

Abandonnant dans la neige la planche qui leur a servi de luge, ils courent à toutes jambes vers la maison.

1 Le troisième œuf
2 Le plus vieux des dragonniers
3 Complot au palais
4 La nuit des élusims
5 La Bête des Profondeurs
6 La colère de la strige
7 Le secret des magiciennes
8 Sortilèges sur Nalsara
9 La Citadelle Noire
10 Aux mains des sorciers
11 Les maléfices du marécage
12 Dans le ventre de la montagne
13 Douze jours, douze nuits
14 Magie noire et dragon blanc
15 L'envol du schrik
16 Le Dragonnier Maudit
17 Les ruses du Libre Peuple
18 Avant que le jour se lève
19 Le pouvoir de Ténébreuse
20 Sous le vent de Norlande